D0959263

Ma dernière Cenne

Catalogage avant publication de Bibliothèque et Archives
nationales du Québec et Bibliothèque et Archives Canada

Mercier, Johanne

    Ma dernière cenne

    (Le Trio rigolo ; 29)
    Pour les jeunes de 10 ans et plus.

    ISBN 978-2-89591-196-8

    I. Cantin, Reynald. II. Vachon, Hélène, 1947- . III. Rousseau, May, 1957- .
IV. Titre. V. Collection : Mercier, Johanne. Trio rigolo ; 29.

PS8576.E687M32 2014   jC843'.54   C2013-942283-8
PS9576.E687M32 2014

Correction-révision : Bla bla rédaction

Tous droits réservés
Dépôts légaux : 1er trimestre 2014
Bibliothèque nationale du Québec
Bibliothèque nationale du Canada
ISBN 978-2-89591-196-8

© 2014 Les éditions FouLire inc.
4339, rue des Bécassines
Québec (Québec) G1G 1V5
CANADA
Téléphone : 418 628-4029
Sans frais depuis l'Amérique du Nord : 1 877 628-4029
Télécopie : 418 628-4801
info@foulire.com

Les éditions FouLire reconnaissent l'aide financière du gouvernement
du Canada par l'entremise du Programme d'aide au développement de
l'industrie de l'édition (PADIÉ) pour leurs activités d'édition.

Elles remercient la Société de développement des entreprises culturelles du
Québec (SODEC) pour son aide à l'édition et à la promotion.

Elles remercient également le Conseil des Arts du Canada de l'aide accordée
à leur programme de publication.

Gouvernement du Québec – Programme de crédit d'impôt pour l'édition de
livres – gestion SODEC.

Ma dernière Cenne

AUTEURS ET PERSONNAGES :

JOHANNE MERCIER • *Laurence*
REYNALD CANTIN • *Yo*
HÉLÈNE VACHON • *Daphné*

ILLUSTRATRICE :

MAY ROUSSEAU

Le Trio rigolo

LAURENCE

« – C'est quoi, un alpaga, Laurence ?

– Un genre de mouton chic qui donne de la laine de luxe. »

Quand l'objectif de la soirée est d'acheter un nouveau manteau d'hiver avec sa mère, il est peu probable qu'on rentre à la maison avec un nouveau chandail. Surtout si nos tiroirs débordent déjà de beaux chandails de laine et qu'on a besoin de bottes, de mitaines, d'une tuque et d'un foulard...

Ce soir, je vais tout de même tenter de franchir avec succès les grandes étapes incontournables du magasinage avec sa mère.

Souhaitez-moi bonne chance !

Ma mère file déjà vers les manteaux d'hiver. Je bifurque vers le rayon des chandails, mine de rien.

Elle me rejoint.

Étape 1
LA PRÉSENTATION du vêtement

L'important, c'est de rester subtil. Je prends le chandail de mes rêves, l'air de l'apercevoir par hasard et pour la première fois, je dis à ma mère, en jouant l'étonnement:

– Oh! wow! Regarde, maman...

Premier coup d'œil de ma mère sur le vêtement. À cette étape, on espère qu'elle aura le même coup de cœur que nous. Qu'elle ne voudra pas abandonner le vêtement qu'on convoite sur la tablette. Qu'elle hésitera même entre l'acheter pour elle ou pour nous, tellement elle le trouve superbe. Qu'elle avancera rapidement vers la caisse sans réfléchir, en disant qu'il ne faut surtout pas se poser de questions, que ce serait vraiment dommage de laisser passer une si belle occasion. On espère enfin qu'elle sortira du magasin, victorieuse, en criant: «Tant pis pour les dépenses! Vive les folies!»

Ce qui n'arrive à peu près jamais.

Jamais, en fait.

Jamais avec ma mère, du moins.

Mais en ce moment, elle examine le chandail prune! Ce qui est déjà un grand pas. Elle aurait pu me répondre: «Laurence, on est ici pour magasiner les manteaux d'hiver!» Elle semble avoir oublié le but premier de notre présence au centre commercial. C'est vous dire la beauté de ce chandail...

– C'est de la laine d'alpaga, précise-t-elle, experte. Six fois plus chaude que de la laine de mouton. Tellement plus douce…

– C'est quoi, un alpaga?

– La couleur est superbe. Très, très belle qualité. Vraiment beau!

Espoir qui grandit, qui grossit, qui déborde. L'équation est simple et logique. Ma mère aime l'alpaga, ma mère m'aime, le chandail d'alpaga est pour moi!

Yé!

Je passe sans plus tarder à l'étape 2.

Étape 2
L'ESSAYAGE

Je l'enfile immédiatement. Sur ma chemise. Pas besoin de cabine! Il faut savoir saisir sa chance. À l'étape 2, notre mère doit craquer en le voyant sur nous. Si elle prononce une phrase du genre: «La

couleur met en valeur celle de tes yeux»
ou «Avec ton jeans, c'est magnifique!»,
on peut supposer qu'on est près du but.

– Il te va très bien, siffle ma mère,
admirative.

Je trouve un miroir. Je la vois derrière
moi qui sourit et je m'imagine déjà
arriver à l'école avec mon nouveau
chandail, lundi matin.

– Il est trop parfait, maman. Je rêve
d'avoir un chandail comme celui-là
depuis 250 ans…

– Il coûte combien?

Étape 3
LE PRIX

La pire. La plus cruelle. La plus dévas-
tatrice des étapes. Celle où les mères
deviennent soudain plus critiques
envers le vêtement de nos rêves.
Certains diront qu'on devrait toujours

commencer par l'étape 3. Pas moi. Ce serait brûler toutes nos chances. J'ai déjà essayé.

Je sais précisément combien coûte ce chandail. J'y pense depuis une semaine, jour et nuit. Je sais aussi que ma mère va sursauter quand elle l'apprendra. Mais je garde espoir.

Je fais semblant de chercher l'étiquette, pour gagner du temps...

Je fais semblant de vérifier le prix...

Je joue la fille tout à fait détendue...

Et je finis par dire faiblement:

– 99...

– Pardon?

Oui, bon, je sais. Même si l'on annonce un prix élevé en baissant le ton, ce n'est pas moins cher pour autant. Le choc reste le même. Et ma mère a très bien entendu. Je le vois dans l'expression de son visage. Elle regarde déjà ailleurs.

– Il valait 225 dollars, il a été réduit à 150 dollars, ils le laissent à 99 dollars... C'est fou !

– C'est fou, en effet.

– On serait venues magasiner la semaine dernière, on aurait payé 150 dollars. Imagine...

– On serait venues magasiner la semaine dernière, on ne l'aurait jamais acheté, Laurence. Payer 99 dollars pour un chandail que tu vas porter deux fois...

– En super laine de super alpaga, maman.

– C'est trop cher.

– Six fois plus chaud que du mouton !

– On est ici pour trouver ton manteau d'hiver, Laurence! Viens!

Si les choses tournent mal, on passe à l'étape 4.

Étape 4
LE RENONCEMENT

Il faut oublier le vêtement de nos rêves. Penser à autre chose. Chasser l'idée à jamais. Se dire qu'au fond, on n'en avait pas besoin. Qu'il n'était même pas si beau.

Mais quand on est, comme moi, une éternelle optimiste, une championne du magasinage, une téméraire, il reste l'étape 5!

Étape 5
LE DERNIER ESPOIR

– Je vais économiser mes sous, maman. Je vais me le payer!

– Si tu veux dépenser 100 dollars pour un chandail, c'est ton choix, ma choucroute…

– Je vais demander qu'on me le réserve…

Ma mère accepte de donner 25 dollars d'acompte et la vendeuse gardera mon chandail jusqu'à samedi prochain. Elle nous accorde le crédit «journée sans taxes» et range le sac.

Je dois maintenant trouver 75 dollars. J'ai déjà 10 dollars d'argent de poche, il y a quelques canettes vides qui traînent à la maison et mon frère me doit 5 dollars… Tout va bien.

Ma mère me montre un manteau d'hiver, l'air de l'apercevoir par hasard et pour la première fois, et me dit en jouant l'étonnement:

– Oh! wow! Regarde, Laurence…

Premier coup d'œil sur le manteau. À cette étape, ma mère espère sans doute que j'aurai le même coup de cœur qu'elle.

Ce qui n'arrive à peu près jamais.

Jamais, en fait.

– C'est le pire manteau, maman.

Elle soupire. Ma soirée de magasinage est loin d'être terminée.

Je n'ai pas eu le choix.

Pour gagner des sous rapidement, il n'y avait qu'une solution. Garder les 4 bébés Saint-Jacques, 2 soirs, de 5 à 9 heures.

Personne ne veut jamais aller garder les 4 bébés Saint-Jacques, 10 mois,

2 ans, 3 ans, 4 ans... Quand je suis allée offrir mes services de gardienne, les parents ont failli s'évanouir. Ils ont vérifié s'il n'y avait pas de caméras cachées. Ils m'ont remerciée pendant de longues minutes. Ils m'ont rappelée deux fois pour s'assurer que je n'avais pas changé d'idée.

Je suis bien là. Comme promis.

Les parents Saint-Jacques m'ont abandonnée au milieu d'un fouillis indescriptible avec quatre bébés en larmes sur les bras. Un souper à préparer. Des couches à changer. Des biberons à faire chauffer. Des bains à donner à quatre petits qui grimpent partout, qui hurlent, qui mangent tout ce qui leur tombe sous la main, qui chignent, qui se tabassent et qui s'ennuient désespérément de leur maman.

Je m'ennuie de la mienne aussi.

Je ne fais que courir, interdire, nettoyer et ramasser les dégâts. Et comme si ce n'était pas suffisant, bébé 1 n'arrête jamais de pleurer! Je ne trouve aucune espèce de solution pour le consoler.

Je viens de lancer un appel de détresse à ma mère. Elle n'est pas à la maison. Et ses piles de cellulaire sont probablement à plat. Ou bien son téléphone est dans son sac à main et son sac à main est dans la valise arrière de la voiture. Tant pis. Je vais devoir appeler une experte en bébés qui hurlent. (Geneviève est experte en tout. Ce n'est pas pour rien qu'elle est ma meilleure amie.)

– Laurence? demande Geneviève. Tu pleures ou quoi?

– Viens vite m'aider, Ge! C'est urgent…

– Où ça?

– Tu n'entends pas hurler? Je suis chez la famille Saint-Jacques!

– Tu gardes les quatre bébés ?

– Viens, je te dis !

– Impossible. Je suis dans la salle d'attente du dentiste.

– Annule le dentiste ! On s'en fout du dentiste ! Je suis en danger.

– On va rester en communication, Laurence. Prends une grande respiration. C'est quoi le problème exactement ?

– Bébé 1 pleure sans arrêt depuis que je suis arrivée, Ge. J'ai tout fait. Changement de couche, biberon, doudou. J'ai même chanté des berceuses. Pendant que j'essaye de consoler bébé 1, bébé 2 grimpe sur le comptoir, bébé 3 avale des élastiques, bébé 4 commence à saigner du nez ! C'est l'enfer !

– Tu es pourtant au courant qu'il ne faut JAMAIS aller garder les bébés Saint-Jacques. Tout le monde le dit.

– Je veux m'en aller d'iciiiiii!

– Laurence, écoute-moi. Reste calme. Je sais ce que tu vas faire…

– …

– Laurence?

– …

– Laurence, es-tu là? Voyons… Laurence, tu n'as pas abandonné les quatre bébés? Laurence! Réponds ou j'envoie la police!

– Scuse, Geneviève. Bébé 4 arrachait les cheveux de sa sœur. Je le tiens!

– J'ai une solution pour bébé 1 qui pleure sans arrêt. Est-ce qu'il a une suce?

– Oublie l'idée de la suce, Ge. Il la crache ou il la lance sur le mur.

– Va chercher un pot de miel!

– Hein?

– Écoute mes consignes, Laurence! Prends la suce de bébé 1, trempe-la dans le pot de miel et mets-lui dans la bouche*!

– Es-tu sûre que je peux faire ça?

– Fonce!

J'exécute le plan d'urgence à la lettre.

Bébé 1 ferme les yeux et tète avec bonheur la suce imbibée de miel. Il ne pleure plus. J'avais oublié ce que pouvait être la vie quand on n'entend pas un bébé hurler dans ses oreilles.

Je reprends le téléphone.

– Geneviève, j'en ai au moins calmé un!

– Parfait! Chaque fois qu'il recommence à pleurer, tu remets du miel!

* Note à toutes les gardiennes: ne jamais faire le truc du miel!

– Je te laisse ! Bébé 2 mange la télé-commande !

Je reviens chez moi, crevée, morte, finie, à plat. Chose certaine, je n'aurai jamais quatre bébés en même temps. J'ai risqué ma peau, j'ai vidé le pot de miel, j'ai mal partout, mais j'ai gagné 48 merveilleux dollars !

Le drame, c'est que je dois y retourner demain soir !

Le fameux samedi 15.

En route vers le centre commercial. Geneviève m'accompagne. À moi le plus beau chandail de la terre ! J'ai travaillé fort, je le mérite tellement. Je ne m'en séparerai jamais.

– Tu vas me le prêter, hein, Laurence ?

Geneviève veut déjà m'emprunter le chandail pour lequel j'ai gardé deux fois les quatre bébés Saint-Jacques...

– Jamais de la vie, Ge. C'est comme une brosse à dents, ce genre de chandail ! Impossible de le partager...

– En échange de mon gilet mauve à capuchon ?

– Non.

– Ma blouse verte ? Celle en dentelle ? Mes espadrilles rouges ? Les réponses du devoir de math ?

– Pfft.

– Laurence Vaillancourt, rappelle-toi qui t'a sauvé la vie chez les bébés Saint-Jacques.

– En passant, la suce trempée dans le sirop d'érable, c'est parfait aussi*. Je l'ai testée.

– Un jour, on essayera avec de la confiture**...

– Jamais je ne retournerai garder les quatre bébés Saint-Jacques !

Nous traversons le magasin.

Quand l'objectif de la soirée est d'acheter un chandail de laine avec sa meilleure amie, il y a de fortes possibilités qu'on arrête dans un autre rayon, pour le plaisir.

Geneviève est déjà au comptoir des parfums.

La vendeuse l'observe...

* Avis aux gardiennes : l'idée du sirop d'érable n'est pas plus recommandée.

** Pas question d'essayer avec les confitures non plus !

– Réalises-tu qu'avec tout l'argent que tu as gagné, tu pourrais te payer la petite bouteille de *Rosée de mimosas*, Laurence?

– Je ne connais pas trop les parfums, Ge.

– Attends, je vais t'en mettre un peu.

Elle me vaporise.

Je respire l'effluve.

– Je m'achète *Rosée de mimosas* aussitôt que j'ai ma paye! déclare Geneviève.

– Tu travailles, toi?

– Les parents Saint-Jacques offrent combien pour garder les bébés, déjà?

– Trois dollars de l'heure par bébé, mais après minuit, c'est quatre dollars. Tu dois fournir le miel, par contre.

Elle se vaporise de parfum. Regard de feu de la dame.

– Je peux vous aider? demande-t-elle sèchement.

Nous partons chercher mon magnifique chandail. Quand je le revois, je l'aime autant. La vendeuse pitonne sur sa caisse en marmonnant:

– Vous aviez droit au crédit «journée sans taxes»... Ça fait 99,99 moins les 25 dollars d'acompte, le total est donc de 74,99.

– Je paye. J'ai 75 dollars.

Il me revient un sou.

– Je mets la facture dans le sac? interroge la vendeuse.

Je suis déjà partie.

– C'est vraiment le plus beau chandail du monde, soupire mon amie.

Elle l'enfile, arrache l'étiquette, admire son reflet dans le miroir. Il lui va bien.

Geneviève et moi, on a la même taille et les mêmes goûts. Pour le meilleur et pour le pire.

– Tellement doux…

– C'est de la laine d'alpaga.

– C'est quoi, un alpaga?

– Un genre de mouton chic qui donne de la laine de luxe.

Je lui montre ma dernière cenne.

– C'est tout ce qui me reste. Je l'ai mérité, mon chandail…

– Une cenne de chance, Laurence. Garde-la toute ta vie!

– Une cenne de chance, c'est un sou qu'on trouve par hasard, Geneviève. Rien à voir avec la monnaie qu'une vendeuse nous rend. Si on trouve un sou, on le jette derrière nous, sans regarder où il tombe, et on fait un vœu.

– Lance ton sou quand même, Laurence. Tu n'as rien à perdre. Des fois que ça fonctionnerait.

Pourquoi pas?

Nous sommes au milieu du magasin. Je prends ma dernière cenne, je ferme les yeux, je réfléchis un peu, je fais un vœu.

Geneviève retient solidement ma main.

– Attends, Laurence! Est-ce que tu allais faire un vœu important?

– Assez...

– Un vœu qui pourrait changer ta vie?

– On sait jamais.

– Parce que ce serait peut-être plus efficace si tu lançais ta cenne dans la fontaine en face!

Elle a raison. La preuve, c'est que le fond du bassin de la fontaine est déjà couvert de sous! Plusieurs personnes ont fait leurs vœux ici. Comme dans un puits. Et les sous jetés dans les puits exaucent des vœux depuis la nuit des temps...

La fontaine est située entre le magasin d'appareils électroniques et le comptoir des gâteries suprêmes. Odeur de maïs au caramel, vision de barbe à papa et de pomme de tire.

J'en rêve...

– Arrête d'observer le comptoir, il te reste seulement un sou, Laurence. Et moi, j'ai zéro.

N'empêche...

– OK. Laurence, sois sérieuse! Lance ton sou noir dans la fontaine, les yeux fermés, par-dessus ton épaule, sans regarder où il tombe. Ça va augmenter tes chances.

– D'ici ?

– Non. Plus loin.

– Ici, ça va ?

Je m'éloigne encore un peu de la fontaine.

– Parfait ! Lance-le de toutes tes forces. Fais un vœu important.

Je ferme mes yeux, je réfléchis…

– Vas-y, Laurence !

J'hésite. Je me demande si je dois faire un petit vœu ou un gros. S'il se réalise, si la cenne exauce vraiment mon souhait, je vais tellement regretter d'avoir fait un vœu ridicule. Par contre, si je…

– LAURENCE !

Tant pis ! Je lance !

C'est fait.

Je me retourne.

Geneviève a l'air complètement catastrophée. Je vais vite la rejoindre.

– Qu'est-ce qui se passe? Qu'est-ce que j'ai fait?

– On a un sérieux problème, Laurence…

Je l'ai dit 1000 fois, je n'ai jamais réussi à mettre un ballon dans un panier au basketball. Je suis incapable de frapper le moineau au badminton. Je n'ai jamais connu la satisfaction d'avoir marqué un but! Je suis nulle dans tout ce qui exige de l'adresse, mais, ce soir, moi, Laurence Vaillancourt, je viens de lancer un sou noir directement dans la machine à barbe à papa, les yeux fermés.

On m'aurait demandé de le faire, je n'y serais jamais parvenue.

On m'aurait promis une médaille, j'aurais échoué.

La machine à barbe à papa du centre commercial est maintenant hors service. À cause de moi. BRA-VO!

Le propriétaire du comptoir à bonbons tente d'enlever ma cenne coincée dans le mécanisme. Il maugrée en nous regardant. Le petit qui attendait après sa mousse est en larmes.

Le vendeur avance vers nous. Il tient ma cenne noire collante de mousse entre son pouce et son index.

– Qu'est-ce qu'on fait, Ge?

– On s'excuse, Laurence. C'est un accident.

– On lui parle de l'idée de la cenne de chance ou pas?

– Pas sûre qu'une cenne qui tombe dans une machine à mousse peut réaliser des vœux, Laurence...

Il nous fixe. Je me demande s'il trouve qu'on fait pitié ou s'il va nous faire payer le gros prix.

– Vous allez payer le gros prix, mes petites filles. Le mécanisme est cassé. Je vais prévenir vos parents ! Un bris pareil, c'est au moins 100 dollars.

– On va payer ! On va payer !

Il nous demande nos noms et nos numéros de téléphone. Je n'entrevois qu'une solution pour avoir rapidement les sous que le monsieur exige. Je file au magasin où j'ai acheté mon chandail en laine d'alpaga et j'annonce à contrecœur:

– Je le retourne, mais je vais revenir le chercher dans deux semaines environ. Remboursez-moi et réservez-le s'il vous plaît.

La vendeuse prend le chandail, l'examine et grimace.

– Désolée, ma belle, mais je ne peux pas te rembourser. Je n'ai pas le droit de reprendre un chandail qui a été porté.

– Il est neuf! Je l'ai acheté ce soir!

– Il empeste le parfum. Désolée…

Bravo, Ge!

– As-tu ta facture, au moins?

Je ne l'ai pas.

Et le chandail n'a pas d'étiquette non plus.

Reste une solution.

Geneviève et moi, on a convenu qu'on garderait les quatre bébés Saint-Jacques à deux pour payer la réparation de la machine à barbe à papa.

Ce soir, le cauchemar commence.

– Laurence, as-tu toujours ta cenne, toi? maugrée Geneviève en tentant de séparer bébé 3 qui mordille l'oreille de bébé 4 en crise.

Je ne dis rien. Je me lève et je jette ma dernière cenne à la poubelle.

YO

« Du coup, sa fourchette de plastique, complètement vidée, s'immobilise, pendant que ses yeux louchent sur ma cenne noire.

– Est pas noire ! Est brune ! »

Casse-croûte Sicotte. On est en plein milieu de l'été et le soleil tape fort sur nos casquettes et sur la table de piquenique brûlante où l'on est assis. Le ventre vide, je regarde Mo attaquer sa poutine géante avec une minuscule fourchette en plastique.

J'aurais bien voulu m'en acheter une, moi aussi, une poutine, mais…

– J'ai pus une cenne !

– Une cenne ! s'exclame Mo, la bouche pleine. C'est quoi, ça, une cenne ?

Mo, c'est Maurice. Un petit de quatrième année. Gros comme un clou, il est capable de manger comme un défoncé[1].

– Une cenne, Mo, c'est un sou noir. Ça vaut rien. Tellement rien que ça existe même pus.

– J'aimerais ça, en voir une.

– Elles ont toutes disparu.

Soudain, pendant que Mo avale sa deuxième goulée de poutine, je me souviens :

– Je peux t'en montrer une, si tu veux !

– Tu viens de dire que t'avais pus une cenne !

– C'était une façon de parler... pour dire que j'suis cassé.

---

1. Voir *Tope là!*

– T'es cassé? me fait Mo en ingurgitant trois frites dégoulinantes de sauce brune, couronnées de crottes de fromage.

Manger, voyez-vous, ça n'empêche pas Mo de jacasser. Au contraire. On pourrait même dire que plus il mange, plus il parle. Et, la plupart du temps, c'est pour poser des tonnes de questions. Avec lui, on peut être entraîné dans une série sans fin.

– Veux-tu vraiment la voir, ma cenne?

Il me fait oui de la tête en engouffrant une autre pelletée.

– Elle est dans ma casquette.

– Dans ta casquette! s'étonne Mo en avalant le gros motton.

– Je la cache là pour pas la perdre.

– T'as dit que ça valait rien. Pourquoi t'as peur de la perdre?

Sans m'occuper de sa question, j'enlève ma casquette.

– Elle se trouve dans la couture, là, à l'intérieur. Tiens. Regarde.

Avec précaution, j'extrais la petite pièce de sa cachette. Entre le pouce et l'index, je la brandis sous le nez de Mo. Du coup, sa fourchette de plastique, complètement vidée, s'immobilise, pendant que ses yeux louchent sur ma cenne noire.

– Est pas noire! Est brune!

– Noire, c'est une façon de parler.

– Encore! s'exclame Mo en replantant résolument sa fourchette dans sa moulée. Une façon de parler pour dire quoi?

– Je le sais pas, moi, je fais, impatient. Il y a plein d'affaires, comme ça, dans la vie, qu'on peut pas expliquer. Arrête tes « pourquoi », veux-tu.

Rien à faire. Une autre bonne portion de poutine solidement plantée au bout de la fourchette, il récidive :

– Pourquoi tu la gardes, ta cenne, si elle vaut rien ?

– C'est Do qui me l'a donnée.

– Do ?

– Donalda. Ma grand-mère. C'est elle qui a cousu la petite cachette dans ma casquette. Comme ça, je l'ai toujours avec moi. Dessus, il y a l'année de sa naissance.

– La naissance de ta cenne ou de ta grand-mère ?

– Les deux.

– 1946 ! s'écrie Mo en saisissant mon sou. Est vieille pas à peu près... ta cenne, j'veux dire.

Pendant qu'il examine la pièce d'une main, dans l'autre, son bouquet de frites gluantes décrit de dangereuses spirales dans le vide.

– C'est qui, le gars, dessus? me demande Mo en pointant ma cenne avec sa gerbe de frites baveuses.

– George VI, je réponds. C'était le roi d'Angleterre.

– Il a même pas de couronne, ton roi.

– C'était un roi moderne.

– Voyons donc, Yo! 1946, c'était dans le temps des dinosaures, ça!

– Elle est en cuivre, ma cenne, je précise, afin d'éviter des questions sur l'ère jurassique. Ça tache les doigts.

– C'est pour ça qu'on dit une cenne noire! triomphe-t-il en continuant à se gaver de poutine.

46

Et il repart de plus belle :

– Pourquoi ta grand-mère t'a donné cette cenne-là, si elle vaut rien ?

Sans attendre ma réponse, il renfonce sa fourchette dans la montagne de poutine au fond du cassot d'aluminium. Au risque de casser l'ustensile, Mo en arrache tout un pan qu'il ramène vers sa bouche. Deux longs filets de fromage s'étirent et s'accrochent à son menton. On dirait qu'il ne s'en aperçoit pas.

– Qu'est-ce que t'as, Yo ? Tu me réponds pas ?

Distrait par les incroyables qualités élastiques du fromage à poutine, j'ai oublié la question.

– Qu'est-ce que t'as dit ?

– Ta cenne noire, pourquoi ta grand-mère te l'a donnée si elle vaut rien ?

– C'est moi qui la voulais. Pour me souvenir de Do. Pour me souvenir aussi des beaux voyages que j'ai faits avec elle[2].

Puis, après un moment de réflexion, j'ajoute :

– C'est ma dernière cenne.

La bouche pleine, Mo s'arrête alors de mâcher, mais pas de parler :

– Pis ?

– Ben… c'est ma cenne de chance. Allez, rends-la-moi.

Avec précaution, comme si elle était devenue soudainement précieuse à ses yeux, Mo me remet la pièce. Un peu à contrecœur, on dirait. Puis, l'esprit ailleurs, il avale sans entrain le restant

2. Voir Mon premier voyage, Ma plus grande peur, Mon coup de soleil et Au bout du monde.

de poutine qui stagnait encore dans sa bouche. De mon côté, je réinsère le sou dans ma casquette.

– J'aimerais ça, en avoir une.

– Une grand-mère ? je demande.

– Non, une cenne comme la tienne.

Je me rends compte alors que Mo est un peu triste. Il a planté sa fourchette dans sa poutine.

– J'ai pus faim. La veux-tu ?

– T'es sûr ? je fais, franchement surpris... et intéressé.

– Oui, oui, ça me tente pus.

Et il repousse le cassot vers moi. Au fond, il reste la moitié de la poutine. Assez pour deux personnes. Vu la chaleur qui règne sur la table de piquenique, elle est encore chaude. Du coup, j'oublie la tristesse de Mo. Parce que la poutine, je dois avouer, j'adore ça, moi aussi.

Mais, après deux bouchées, je lève la tête. Mo est toujours songeur.

– Écoute, t'en fais pas, Mo, on va en trouver une quelque part, c'est sûr. Des cennes noires comme ça, il y en avait partout autrefois. Va demander au comptoir du casse-croûte, peut-être que monsieur Sicotte...

– Non, Yo, je veux pas n'importe quelle cenne noire. Je veux une cenne comme la tienne.

– Je peux pas te la donner. C'est un cadeau de Do.

– Je veux pas ta cenne non plus, je veux une cenne spéciale... pour moi tout seul. Une dernière cenne... une cenne de chance avec une histoire... comme toi et ta grand-mère.

J'ai été incapable de finir la poutine. Un peu parce qu'il en restait beaucoup trop. Mais surtout parce que Mo était triste. Depuis qu'il connaît l'histoire de ma cenne noire, il a la binette basse...

Mais comment faire, aujourd'hui, pour trouver une cenne avec une histoire ?

Tous les deux, côte à côte et silencieux, on marche sur le trottoir en direction du parc. Moi, avec ma casquette rouge des Canadiens d'un bord... lui, avec sa bleue des Nordiques de l'autre.

Mo, c'est un peu mon sosie, voyez-vous. Mais en plus petit.

Avec ses culottes « fourche-aux-genoux » et son gilet extralarge, il fait vraiment très yo. D'habitude, cette ressemblance me tombe sur les nerfs. Mais aujourd'hui, c'est différent. Moi aussi, quand j'étais petit et que je voulais quelque chose, je pouvais bouder pendant des jours pour une niaiserie.

Décidément, Mo me ressemble beaucoup plus que je le croyais.

– Eh! Yo!

– Ré! je m'écrie en voyant mon ami qui vient à notre rencontre.

Ré, c'est Rémi. Avec lui, il y a toujours beaucoup d'action. Dans une minute, Mo va oublier sa cenne, c'est certain.

– Je reviens du parc, nous annonce Ré. Y a du nouveau là-bas…

– As-tu une cenne noire dans ta casquette, toi? l'interrompt Mo.

Ré le regarde, interloqué.

– Yo en a une, lui, poursuit Mo. Elle est aussi vieille que sa grand-mère. C'est sa dernière cenne… sa cenne de chance!

Ré se retourne vers moi, étonné. Je ne lui avais jamais parlé de ça.

– Ben oui, Ré. Un souvenir de Do. C'est pas important.

Tous les deux ont les yeux fixés sur ma casquette, comme s'ils ne l'avaient jamais vue. Je me sens un peu gêné.

– D'accord, j'admets, c'est important pour moi.

– C'est sa cenne de chance! insiste Mo auprès de Ré, comme s'il voulait lui faire saisir quelque chose.

Profitant du silence de Ré qui, nettement, ne comprend pas notre conversation, je m'empresse de changer de sujet:

– Ré, tu disais qu'il y avait du nouveau au parc...

– Oui. Des jeux d'eau.

Je saute sur l'occasion pour proposer :

– Mo ! Ça te tente ?

Voyant que Mo pense encore à sa cenne, j'ajoute :

– Une cenne de chance, ça se trouve pas en restant comme ça, les bras croisés. Viens-t'en avec nous autres. On va peut-être la découvrir au parc, justement, ta cenne. T'as rien qu'à l'oublier, pis elle va te tomber dessus, tu vas voir.

Tout à coup, je me rappelle ce que Do me disait quand j'étais petit et que je boudais pour une niaiserie.

– Ma grand-mère, quand je voulais quelque chose, elle me suggérait de fermer les yeux et d'y penser fort fort dans ma tête... puis de l'oublier en jouant à un jeu. Ça marchait tout le temps ! Tu veux essayer ?

Mo me regarde, incrédule. Ré, lui, est interloqué. Alors, j'ajoute :

– Tous les trois, on forme un trio du tonnerre, non ?

– Tu veux dire les KaillouX ? demande Mo.

– Oui, les KaillouX. On fait de la musique ensemble et on est capable de jouer au moins cinq chansons.

– Oui, pis après ? réplique Ré, qui tente vraiment de comprendre.

– On est unis par la musique !

Là, je sens que je les embrouille encore plus. Alors je poursuis :

– Tous les trois, on va faire comme ma grand-mère disait. On va fermer les yeux et penser fort fort à la cenne de Mo. Après, on va aller s'amuser dans l'eau, au parc. Moi, je parie que Mo va la trouver aujourd'hui, sa cenne chanceuse.

– Tu paries quoi ? me fait Mo.

– Une poutine! je réponds, sans réfléchir.

Il me regarde, incrédule.

– Promis, juré, craché, Mo. Si tu trouves pas ta cenne aujourd'hui, je te paie une poutine familiale avant la fin des vacances d'été.

– Familiale! Comment tu vas faire? demande Mo. T'as pus une cenne.

– Ré va m'aider à payer… hein, Ré?

– Ben là…, s'objecte Ré, toujours incertain de ce qui se passe.

Sans m'occuper de lui, je poursuis:

– Allez, tous les deux! je fais en pointant ma tête. Posez la main droite sur ma cenne de chance et on va faire comme Do disait…

Mo, déjà, a levé le bras mais, soudain, il a une hésitation.

– Y a un problème, Mo?

– Ben, c'est ta casquette.

– Qu'est-ce qu'elle a, ma casquette?

– C'est une casquette des Canadiens. Je touche pas à ça, moi. Ça porte malheur. Moi, c'est les Nordiques!

– T'es superstitieux ou quoi? je demande, un peu choqué.

– Bien sûr que Mo est superstitieux! intervient Ré, qui commence enfin à comprendre ce qui se passe. Il est comme toi. Il croit aux cennes chanceuses!

– Et toi, tu y crois pas? je rétorque.

– Voyons donc, Yo, c'est niaiseux, ces affaires-là! Penses-tu vraiment que les Canadiens vont gagner la coupe Stanley parce que tu portes leur casquette? Et toi, Mo, que la tienne va faire revenir les Nordiques à Québec? Tout ça, Yo, c'est comme ton truc de grand-mère pis de cenne chanceuse. Ça marche jamais, ces niaiseries-là. C'est... c'est juste psychologique.

– Psycholoquoi? fait Mo.

– Laisse faire. Ré, c'est juste un rationnel.

– Un ratioquoi?

La casquette des Nordiques ne sait plus où donner de la palette.

– Oublie ça, Mo. Tu veux encore trouver ta cenne?

– Oui.

– Tu crois toujours à la chance?

– Oui.

– Alors, le truc de Do, on va le faire à deux... sans Ré.

– Mais il va manquer un KaillouX! s'objecte Mo.

– Ça va marcher quand même. De toute façon, rappelle-toi. Si ça marche pas, je te paie une poutine géante.

Du coup, Mo est d'accord… mais pas Ré, qui se mêle de nouveau à la conversation :

– Yo, pourquoi tu lui mets des balivernes pareilles dans la tête ?

– Des baliquoi ? demande encore Mo.

– Écoute, Ré, laisse-nous tranquilles et va te rafraîchir au parc dans les jeux d'eau. On va aller te rejoindre après.

– Ça marchera pas, je vous dis ! insiste Ré qui, maintenant, prend cette affaire à cœur.

– Tu paries quoi ? je rétorque, un peu exaspéré.

– Une poutine ! réplique Ré, sans réfléchir.

– Promis, juré? je demande.

– Craché! fait Ré. Si, avec ton truc de grand-mère, Mo trouve sa cenne chanceuse aujourd'hui, c'est moi qui lui paie une poutine géante.

– Autrement dit, intervient Mo, cenne pas cenne, quelqu'un va me payer une grosse poutine cet été, c'est ça?

– En plein ça! qu'on répond ensemble, Ré et moi.

– Pas de doute, conclut Mo, cette cenne-là, c'est vraiment ma cenne de chance... que je la trouve ou non.

J'espère que le truc de Do va marcher. À vrai dire, j'y crois de moins en moins.

Pour mettre toutes les chances de mon côté, je retire de nouveau ma cenne de ma casquette et je la tiens par la tranche, devant mes deux amis. Elle brille au soleil.

– Il faut la tenir tous les trois en même temps.

– Moi, je la tiens pas, ta cenne, annonce Ré. J'ai gagé que ton truc de grand-mère marchera pas, alors…

– Justement, Ré. Il faut que tu la touches si tu veux prouver que ça marche pas. Moi, je crois à la force de notre trio des KaillouX. T'as pas le choix. Sinon, le pari ne tient plus.

Déjà, Mo a saisi le bord de ma cenne. Pendant ce temps, Ré me regarde, encore hésitant. Il avance sa main et, du bout des doigts, il la prend à son tour par la tranche. Et nous voilà, sur le trottoir, tous les trois unis par George VI.

– Bon, je dis, on ferme les yeux et on pense fort fort à la cenne de Mo. Triche pas, hein, Ré! Faut que tu penses fort fort.

– Mais s'il la trouve, va falloir que je lui paie une poutine.

– Commencerais-tu à y croire, par hasard, à mon truc de grand-mère?

– Jamais de la vie!

– Alors, y a pas de problème. Si t'es sûr que ça fonctionne jamais, ces niaiseries-là, joue le jeu!

Ré est ébranlé. Il tient toujours un bout de ma cenne. Pendant ce temps, Mo a déjà les yeux fermés dur. Le front et le nez plissés, il se force pour penser fort fort.

Du coup, je suis touché par sa croyance totale dans le truc de ma grand-mère. J'espère franchement que ça va marcher.

Je fais signe à Ré de fermer les yeux. Touché lui aussi par la naïveté de Mo, il le fait enfin.

À mon tour, maintenant.

Mais, dans le noir de ma tête, je me demande si c'est pas un peu nono, toutes ces affaires-là.

Nous voilà rendus au parc.

Comme Ré l'avait dit, la Ville a aménagé, sur une grande plaque de ciment bleue, une nouvelle aire de jeux d'eau. Là, des tuyaux tordus aux couleurs vives surgissent de partout, comme de gigantesques serpents multicolores qui sortent de terre, puis se tortillent dans tous les sens pour aller s'enfoncer à nouveau, plus loin, dans le ciment. L'eau jaillit de n'importe où et aux moments les plus inattendus. Au milieu, il y a une mitrailleuse à eau fixée sur un petit poteau. On peut la diriger dans toutes les directions pour arroser ceux qui approchent. Suspendues au-dessus de tout ça, de grosses chaudières se remplissent d'eau. Quand elles atteignent le déséquilibre, elles basculent, se vidant d'un coup et avec fracas sur la plaque, l'eau éclaboussant tout autour.

Sans qu'on s'en parle, on a tous les trois compris le défi : traverser l'espace sans se mouiller. J'ai foncé le premier, zigzagué entre les serpents de métal, tiré un coup de mitrailleuse à eau très haut en direction de mes amis, puis couru les rejoindre, aussi sec qu'avant, sauf mes espadrilles.

– Ouais, fait Ré. Pas mal chanceux !

– C'est ma cenne, je réplique.

Mo me regarde, piteux. Il a reçu ma giclée de mitrailleuse en plein sur la tête. Il ne l'a pas vue venir. Sa casquette dégouline sur son tee-shirt et sa fierté des Nordiques en a pris un coup...

Il serre les dents.

Tout à coup, sans avertissement, il détale vers la fontaine. Vif comme l'éclair, il slalome entre les serpents, empruntant le même tracé que moi. Sans être touché par les jets, il réussit à rejoindre la mitrailleuse. Aussitôt, il se met à tirer dans notre direction. Ré et moi, on recule afin de ne pas être arrosés. Là-bas, Mo s'entête, mais ses tirs ne peuvent plus nous atteindre. Frustré, il lance de l'eau dans toutes les directions. Soudain, dans un grand splash lumineux qui explose au centre de la fontaine, Mo reçoit sur le dos tout le contenu d'une chaudière qui vient de basculer au-dessus de lui. Sous l'impact, il est écrasé au sol et disparaît. Pendant une seconde, je ne comprends pas ce qui arrive. Peu à peu, l'eau se disperse et, lentement, Mo se relève, trempé et lourd comme une moppe sortie d'un seau. Son tee-shirt est deux fois plus long qu'avant, et il doit retenir ses culottes imbibées d'eau. La palette de sa casquette est rabattue sur le côté de sa tête. Piteux, il ne bouge plus.

– Allez, Mo, viens-t'en! je crie.

– Ouais, ajoute Ré. Reste pas là. Viens-t'en au soleil.

Mais Mo demeure immobile. De temps à autre, il reçoit une giclée supplémentaire qui, sans doute, ne fait que l'humilier davantage. Ré et moi, on se regarde. Il faut y aller...

Tant pis, on se mouille!

Sans nous soucier de la fine pluie qui surgit de tous les côtés, nous accourons vers Mo. Soudain, un doute me traverse l'esprit. Trop tard. Mo lève les yeux, fait un pas de côté et se saisit de la mitrailleuse. On est juste à la bonne distance et le «p'tit batince» nous canarde à bout portant, nous aspergeant des pieds à la tête.

Finalement, voyant que c'est inutile de tenter d'échapper à la douche totale, Ré et moi, on abandonne. Bons joueurs, on laisse Mo se défouler à son goût. Il nous a eus.

C'est maintenant à nous de retenir nos culottes.

Au milieu du parc, un léger vent chaud et le soleil implacable ont vite fait d'assécher nos vêtements sans qu'on les enlève… sauf nos espadrilles, bien entendu.

Nu-pieds et chaussettes pendantes de nos poches, nous nous dirigeons vers chez Mo… qui semble avoir oublié sa cenne. Plus unis que jamais par notre petite guerre de l'eau, nous avons décidé d'apprendre une nouvelle chanson pour notre trio des KaillouX. On était encore au parc, tout mouillés, quand Mo a eu l'idée de celle qu'on devrait choisir.

– Ça s'appelle *Splish! Splash!*

– *Splish! Splash!* s'étonne Ré.

– Rappelez-vous, je vous en ai déjà parlé[3]. C'est une chanson de César et ses Romains.

– Une chanson de l'Antiquité! s'exclame Ré, moqueur. Tu penses pas qu'on devrait opter pour une chanson plus moderne?

– C'était pas l'Antiquité, voyons donc, Ré, démêle! fait Mo, qui prend l'objection très au sérieux. C'était dans les années 1960.

---

3. Voir *Au bout de la rue*.

– Ben oui, Ré, j'ajoute pour rigoler à mon tour, 1960, c'était une dizaine d'années après la disparition des dinosaures... l'époque yé-yé... juste après l'ère jurassique.

Mo ne comprend rien à notre discours, mais ça ne l'empêche pas de continuer, plus sérieux que jamais:

– *Splish! Splash!*, c'était une chanson du répertoire du groupe de mon grand-père, les Extravagants. J'ai le disque chez nous, c'est certain. Les feuilles de musique aussi. Un gros *hit* à l'époque.

Devant la naïveté de Mo, Ré ne sait plus quoi dire. Finalement, parce que c'est lui le chanteur, il demande:

– Ton *Splish! Splash!*... ça raconte quoi?

– Je me souviens pas très bien, répond Mo, l'air grave. Me semble que c'est l'histoire d'un gars mouillé...

– Mouillé?

– Oui, tout mouillé comme nous autres, là, tantôt... mais lui, c'est parce qu'il est tombé tout habillé dans son bain...

– C'est tout?

– Non, après, le gars, il est surpris par un gros *party* avec des danses bizarres, le ska, le *monkey*, le ya-ya... me semble. En tout cas, le César, il finit sa chanson en disant: «Tant pis pour ma chemise!», ça, j'en suis pas mal sûr.

– Moi, conclut Ré, abasourdi par cette histoire de fou, je me déguise pas en César.

– Ni moi en Romain, j'ajoute.

On a abandonné nos chaussettes et nos espadrilles dehors, sur le gazon, au soleil, et nous voici enfin tout secs et nu-pieds dans le sous-sol, chez Mo.

En général, c'est là qu'on répète notre encore minuscule répertoire. Il y a tout ce qu'il faut : la batterie du grand-père de Mo, ma guitare que je laisse toujours là maintenant, un vieux meuble tourne-disque avec des piles de disques vinyles de l'ancien temps. Il y a aussi toutes les partitions des Extravagants. En plus, pour les chansons plus récentes, Ré a apporté un ancien lecteur cassettes-CD. Autrement dit, le sous-sol de Mo, c'est le studio des KaillouX. On peut s'enregistrer et s'écouter avec l'appareil de Ré. La qualité est nulle mais, au moins, on peut se corriger et s'améliorer.

– Allez, Mo, s'impatiente Ré. Fais-nous jouer ton *Splish! Splash!* qu'on voie c'que ça donne.

– Laisse-moi le temps. Faut que je trouve le disque.

Pendant que Mo cherche dans une vieille commode, moi, j'accorde ma guitare. Ré, de son côté, regarde une photo délavée des Extravagants, épinglée là, au mur, depuis plus de 50 ans. Dessus, trois gars jaunis en habit mauve posent avec leurs instruments. Le plus maigre, avec un sourire de dentier, c'est le grand-père de Mo. Le batteur. Sur la photo, on peut voir sa batterie... qui est maintenant la nôtre, celle des KaillouX.

– J'ai trouvé! s'écrie soudain Mo.

Mo brandit fièrement une grande pochette.

– Regardez, César et ses Romains, c'était eux autres!

– Ils sont photographiés devant des ruines, fait remarquer mon ami.

– Ben voyons, Ré, c'est normal. Rome, c'est l'Antiquité, tu l'as dit tantôt! En 1960, la ville était déjà en ruine depuis longtemps, c'est certain. Imagine aujourd'hui.

Ré se tourne vers moi, interloqué. Je lui souris pour lui indiquer de laisser tomber. Mo, il est juste en quatrième année. En plus, il n'est vraiment pas fort en histoire ni en géographie. Heureusement pour les KaillouX, c'est un super bon batteur.

– Allez, Mo! lance Ré, toujours un peu abasourdi. Fais-nous partir ton... ton antiquité.

– Quoi?

– Le tourne-disque de ton grand-père... allume-le qu'on entende *Splish! Splash!*

– Allumez-le, vous autres. Moi, il faut que je fouille pour trouver la feuille avec les paroles et les accords.

Pendant que Mo replonge dans les tiroirs de la commode des Extravagants, moi, je m'approche du meuble pour allumer le vieux Fleetwood. J'ouvre le couvercle.

– J'ai trouvé! s'écrie encore Mo.

Cette fois, il brandit la partition de *Splish! Splash!* qu'il passe à Ré, qui lit aussitôt l'histoire du gars mouillé.

– Laisse faire, Yo, me fait Mo. Je m'occupe de mettre le disque.

Pendant qu'il allume le vieil ampli et met en marche le tourne-disque, je viens plus près de Ré pour observer les accords qui accompagnent les mots de *Splish! Splash!* Je vois tout de suite que je les connais tous. Ça devrait être facile à apprendre.

– Yo, me fait Ré, en levant des yeux incrédules. La chanson, ça commence dans les toilettes à 9 heures le samedi soir. Le gars, il prend son bain si longtemps qu'il vide tout le réservoir. Tout d'un coup, il s'aperçoit qu'il y a un *party* dans le salon et que c'est plein de monde. Il est tellement surpris qu'il retombe dans son bain! J'comprends rien.

– J'ai trouvé! s'écrie encore une fois Mo.

Je me retourne.

– Qu'est-ce que t'as encore trouvé?

– Ma cenne! s'exclame-t-il en sautant de joie. J'ai trouvé ma cenne noire! Elle était là! Juste là!

De son doigt, il pointe l'intérieur du meuble, là où est encastré le tourne-disque. Ré et moi, on s'approche.

– Yo! Le truc de ta grand-mère, ç'a marché! J'ai trouvé ma cenne!

76

Je me penche au-dessus de l'appareil. Je ne remarque rien.

– J'suis sûr que c'est une cenne à mon grand-père! s'énerve Mo.

– Quelle cenne? Je vois pas d'cenne, moi.

– Là, sur le bras!

– Le bras? Quel bras?

– Le bras de l'aiguille. Ma cenne est collée sur le bras de l'aiguille.

Soudain, je la vois!

Oui, juste au bout du petit bras qu'on dépose sur le disque, un sou noir est collé, retenu là par un papier collant à demi desséché.

– C'est pour quoi faire? me demande Ré.

– Je pense que c'est pour ajouter du poids afin que l'aiguille saute pas sur le disque.

– C'est une cenne de mon grand-père, s'excite Mo, j'suis certain. J'vais la mettre dans ma casquette.

Déjà, Mo s'affaire sur le petit bras pour récupérer l'objet.

– Attention, c'est fragile ! je fais en m'approchant.

Mais le papier collant est tellement sec qu'il s'émiette tout de suite sous les doigts de Mo.

– Je l'ai ! s'exclame-t-il en brandissant sa cenne. Regarde, Yo, 1960 ! C'est une cenne de 1960, avec une reine dessus... une reine avec une couronne en feuilles... comme dans l'Antiquité.

– Oui, Mo, une couronne de laurier ! je dis en faisant un clin d'œil en direction de Ré. Comme celle de César !

Mais Ré n'a plus envie de rire.

– Qu'est-ce qui t'arrive, Ré ? Boude pas. Ça va juste te coûter une grosse poutine.

– C'est pas la poutine.

– C'est quoi, alors ?

– Ben...

– Ben quoi ?

Après un long moment d'hésitation, il avoue :

– J'en voudrais une, moi aussi, une cenne noire comme ça.

DAPHNÉ

«Et le comble, c'est que j'ai
encore une centaine de
cennes noires au
fond de mon sac et
un chien de la taille
d'un veau sur les
bras.»

Trois heures de l'après-midi à Québec, place d'Armes, près de la fontaine du monument de la Foi, devant le Château Frontenac. C'est l'été, il fait une chaleur étouffante. La place est bondée de touristes, de jongleurs, d'amuseurs publics, de musiciens ambulants, de caléchiers, de familles, d'enfants, de chiens... et de moi.

Je me tourne dos à la fontaine et, par-dessus mon épaule, je lance une première cenne dans l'eau en faisant un vœu.

J'en ai plein le dos, des cennes noires, et j'en ai plein mon sac à dos aussi. Je les amasse depuis que je suis petite, mais comme plus personne n'en veut parce qu'elles ne seront bientôt plus en circulation, je ne sais plus quoi inventer pour m'en débarrasser. J'ai essayé de les écouler chez l'épicier, le boucher, le boulanger... rien à faire. Alors je cours les fontaines et je fais des vœux.

Pourquoi les fontaines, pourquoi les vœux ? Réponse : parce qu'ils font ça en Italie.

À Rome, chaque fois qu'un touriste se pointe devant la fontaine de Trevi, il lance une ou deux pièces de monnaie par-dessus son épaule et fait un vœu. Une ou deux pièces, ça n'a l'air de rien, mais ça finit par faire beaucoup. On a calculé que, chaque année, les touristes du monde entier jettent l'équivalent de plusieurs milliers de dollars dans l'eau. Le plus beau de l'affaire, c'est que tous les matins, à l'aube, des employés municipaux arrivent avec leurs gros aspirateurs, raflent toutes les pièces et les redistribuent aux familles démunies.

Si ça marche en Italie, pourquoi ça ne marcherait pas à Québec? On a des fontaines ici aussi, plein de familles démunies et des tas de cennes noires à écouler.

Bon, je sais, Québec n'est pas Rome. On n'a pas de fontaine de style baroque agrémentée de tritons et de chevaux marins, on n'a pas non plus de dieu Neptune trônant sur son char en forme de coquille, mais on a une fontaine presque centenaire en granite avec une femme juchée au sommet, quatre contreforts ornés de gargouilles et quatre pilastres surmontés d'une pyramide et d'un fleuron.

DONC, ÇA DEVRAIT MARCHER!

Une fontaine en vaut bien une autre et je ne vois pas pourquoi les touristes qui admirent les gargouilles et les pilastres à Québec seraient moins généreux que ceux qui admirent les tritons et les chevaux marins à Rome. Depuis que la tradition s'est implantée là-bas, n'importe quel touriste un peu dégourdi sait que les fontaines du monde entier sont faites pour qu'on y jette de l'argent. Mais au cas où ceux de Québec seraient légèrement engourdis – il fait tellement chaud! –, je me dis qu'à force de me regarder jeter des sous dans l'eau, ils vont finir par allumer.

Trois heures quinze de l'après-midi. Mon sac à dos pèse une tonne et j'ai chaud. J'envoie valser une sixième, puis une septième cenne par-dessus mon épaule et je murmure ASP, ASP, ASP... A pour amour, S pour succès, P pour prospérité (S peut également désigner santé, je n'ai pas encore décidé). Tant qu'à faire un vœu, aussi bien en faire un vrai et, avec 200 cennes noires, j'ai 200 fois plus de chances qu'il se réalise.

L'embêtant, c'est que je ne vois rien. J'ai beau lancer mes cennes en direction de la fontaine, je ne suis pas certaine qu'elles atteignent leur but. Perdue au milieu de cette petite marée humaine qui se bouscule autour du bassin, rit, gesticule et prend des photos, je n'entends rien, en tout cas pas le petit ploc! annonçant que les sous sont bien tombés dans l'eau. Qui a décrété qu'il fallait lancer l'argent de dos? De face, ça irait bien mieux.

À moitié déshydratée, je recommence à lancer. Une huitième, une neuvième, une dixième, puis une onzième pièce et, à chaque jet, je marmonne : A pour amour, S pour succès ou santé ou les deux, P pour prospérité... A pour amour, S pour succès ou santé ou les deux, P pour prospérité...

Soudain, un petit garçon affublé d'une casquette orange et noire vient se planter devant moi.

– T'as échappé ça, dit-il en ouvrant la main.

Les 11 sous noirs sont là, parfaitement secs. Il les a ramassés ou interceptés au passage. Je secoue la tête.

– Ils sont pas à moi.

– Ben oui, ils sont à toi. Je t'ai vue les lancer en l'air.

Soupir.

– Va les jeter dans l'eau, d'accord ?

Il regarde les sous, ne comprend pas.

– Dans l'eau ? Pourquoi ?

Il fait trop chaud pour répondre. Cela voudrait dire expliquer mon erreur de jeunesse, la dévaluation du sou noir, Rome, la fontaine de Trevi et les familles démunies.

– Dans l'eau, je répète en montrant la fontaine.

– Pour quoi faire?

– Pour faire un vœu.

– C'est quoi, un vœu?

Soupir profond.

– Tu penses à quelque chose que tu désires très très fort, tu jettes une cenne dans la fontaine et peut-être que ton souhait va se réaliser.

L'air sérieux, il examine toujours les pièces comme si elles allaient s'évaporer.

– J'aime mieux les cennes que les vœux, déclare-t-il après un moment.

– T'aimerais pas ça avoir un nouveau vélo ? Un nouveau jeu vidéo ?

J'ai l'impression désagréable de le tromper. Dans sa tête, un mini combat s'engage, ses yeux font le tour de la place avant de revenir se poser sur moi.

– J'aime mieux les cennes, répète-t-il. Et je désire très très fort les garder, ajoute-t-il en refermant la main. Je peux ?

– Ben oui.

À ce rythme-là, je ne risque pas d'enrichir beaucoup de familles. Au moment de partir, le petit se tourne vers moi.

– Mon père, il dit qu'il faut pas jeter l'argent par les fenêtres.

– Où tu vois des fenêtres ? je rétorque avec humeur.

Je dois tout reprendre à zéro.

C'est difficile de donner l'exemple, c'est encore plus difficile de créer une tradition. Autour de moi, personne n'a l'air de saisir ce que je suis en train de faire et personne ne m'imite. Ce n'est tout de même pas possible qu'aucun des touristes présents ne soit allé à Rome ou n'ait entendu parler de la fontaine de Trevi! Suis-je la seule à m'intéresser aux documentaires? J'ai de plus en plus chaud, les mains moites et un début de tendinite à l'épaule droite. J'en suis à mon dix-septième lancer de la cenne noire quand brusquement, à bout de patience, je plonge le bras au fond de mon sac à dos et je lance d'un coup une pleine poignée de sous noirs par-dessus mon épaule.

Et là, miracle: j'entends une série de ploc!, aussitôt suivie d'un immense splash! dévastateur, le genre de déflagration que fait le corps d'un plongeur de bonnes dimensions tombant par inadvertance dans une piscine.

Je me retourne et ce que je vois est consternant : un gros chien a sauté dans le bassin et prend un malin plaisir à éclabousser tout le monde. Il a une tête carrée, un corps massif, gris avec un peu de blanc, et quatre pattes aussi larges que des madriers. Les touristes poussent de petits cris scandalisés (des «Oh!», des «Ah!» et encore des «Oh!») et s'éloignent de la fontaine. Il n'en faut pas plus pour que les autres chiens présents – un golden retriever, un caniche royal, un épagneul et un boxer – se ruent à leur tour sur le monument de la Foi et rejoignent le mastodonte gris et blanc de race inconnue qui a ouvert le bal. Tout ce beau monde s'ébroue et asperge tout le monde, y compris les maîtres, visiblement dépassés par les événements.

En un rien de temps, le bassin se vide de son eau et ce qui était jusque-là plus ou moins immergé se révèle au grand jour. Le museau affleurant la couche de boue qui tapisse le fond du bassin, les chiens hument, flairent, lèchent on ne sait pas trop quoi, avalent on le sait encore moins, c'est à qui débusquera le plus grand nombre de trophées visqueux.

Soudain, le gros chien, qu'aucun propriétaire n'a l'air de réclamer, saisit un objet dans sa gueule et lève la tête. Ses yeux font le tour de la petite assemblée et viennent tout naturellement se poser sur moi, comme si j'étais le point de référence, la source de tout ce désordre (il n'a pas complètement tort, si on y pense un peu).

J'hésite entre m'enfuir à toutes jambes et attendre stoïquement la suite des événements. M'enfuir ne servirait à rien, le chien court sûrement plus vite que moi, alors j'attends stoïquement la suite des événements. Le chien saute du bassin et n'a aucun mal à se frayer un chemin jusqu'à moi – tout le monde s'écarte pour ne pas être éclaboussé de boue. La queue frétillante et les babines retroussées de bonheur, il accourt en jappant comme un chargé de mission tout heureux de rapporter le butin à son chef. Il s'assoit devant moi et dépose à mes pieds un téléphone portable éventré, à moitié rouillé.

Je ne l'ai pas sitôt ramassé que le manège recommence. Le chien se rue sur la fontaine, saute dans le bassin et en ressort avec un autre objet – une sandale rose qui a dû connaître des jours meilleurs. Malgré moi, je pense aux employés romains et à leurs gros aspirateurs. Les nôtres ne doivent pas faire le ménage très souvent.

Le chien sourit de plus belle. Autour de nous, les gens ont l'air de trouver ça moins drôle. Tous les regards sont

braqués sur moi. C'est elle, la coupable,
disent les regards, elle a dressé son
molosse pour semer le désordre.

Et la discorde.

Parce que si le gros chien multiplie
les allées et venues dans
un calme relatif – il rap-
porte, dans l'ordre, une
mitaine sans pouce, un
porte-clés sans clés et
une paire de lunettes
sans verres –, les
quatre autres
continuent de
se disputer
dans le bas-
sin. Un véri-
table concert
d'aboiements et
de grondements
s'élève de la place
d'Armes, couvre

tous les bruits environnants et attire les curieux. Les propriétaires ont beau tirer sur les laisses, crier, supplier leur animal d'abandonner la partie, le corps à corps se poursuit inexorablement. Un nouvel attroupement se forme, constitué des jongleurs, des amuseurs publics et des musiciens ambulants que la foule a désertés pour le monument de la Foi, beaucoup plus animé. Écœurés, la plupart des touristes préfèrent s'éloigner.

Non, décidément, Québec n'est pas Rome.

Cinq heures de l'après-midi à Québec, place d'Armes, près de la fontaine du monument de la Foi, devant le Château Frontenac. C'est l'été, il fait toujours aussi chaud et la place est bondée. De nouveaux touristes ont remplacé les malheureux témoins du saccage.

Assise sur un banc, je les regarde déambuler en attendant que le chien retrouve son maître ou que le maître retrouve son chien. Chien qui, pour l'instant, somnole bruyamment à mes côtés. Pour tuer le temps, je fais le bilan de mon après-midi. J'ai tout raté : mon action n'a eu aucun effet ni sur l'implantation de la tradition romaine ni sur la hausse du niveau de vie des familles pauvres de Québec. Et le comble, c'est que j'ai encore une centaine de cennes noires au fond de mon sac et un chien de la taille d'un veau sur les bras.

Le temps passe, la lumière vire à l'orange, puis au rouge et commence à décliner sans qu'aucun propriétaire de veau ne daigne se manifester. Je pense à Désirée et soudain, un avenir rempli d'éternuements et de contrariétés diverses se dresse devant moi. Je ne peux tout simplement pas emmener cette bestiole chez moi. Ma sœur est allergique à toute créature le moindrement poilue et le spécimen qui dort à mes côtés est poilu comme 10 singes réunis. Je n'aurai même pas atteint la porte d'entrée que Désirée va se mettre à éternuer.

En plus, il ronfle, le veau. De curieux grondements mêlés de soupirs profonds s'échappent de sa poitrine. Sa tête repose sur ma cuisse, aussi chaude qu'une bouillotte, ce qui fait grimper ma température corporelle de cinq degrés, au moins.

Je patiente une autre heure. Il commence à faire noir. Affalé contre moi, le chien ronfle comme un diésel. Et puis j'en ai marre. Je me lève, je marche jusqu'à la fontaine et, devant les derniers touristes qui s'attardent, je vide mon sac à dos dans le bassin. Un petit monticule de cennes noires se forme, entre un gobelet en styromousse et un morceau de panneau de signalisation qui devait indiquer STOP (il ne reste que le OP).

Je ne conserve qu'une cenne, ma dernière cenne.

Et je m'en vais.

Je n'ai pas fait trois pas que le chien se réveille en sursaut, descend du banc et me rejoint.

– Toi, tu restes là. Quelqu'un va venir te chercher.

Il s'arrête, s'assoit, me regarde. Grosse tête, yeux noirs larmoyants, pas de collier. D'où vient-il? Est-ce qu'il s'est enfui? Est-ce qu'on l'a abandonné?

Comment savoir? Je repars, il me suit, je m'arrête, il s'arrête et pour bien montrer qu'il ne cédera pas, il s'allonge au beau milieu de la rue. Des voitures freinent de justesse. Je m'énerve.

– Je peux pas t'emmener avec moi! J'ai une sœur qui s'appelle Désirée, c'est un vrai danger public pour les chiens comme toi. Pour tous les chiens, d'ailleurs.

Il m'observe, impassible.

– Ma sœur est allergique aux poils, ses copains sont obligés de s'épiler quand ils s'amènent chez nous, c'est ça que tu veux?

Grognement réprobateur.

– Bon, alors débrouille-toi pour retrouver ta maison.

Il fixe le sol.

– Qu'est-ce que ça veut dire, ça ? T'as plus de maison ?

Il secoue la tête.

– Comment ça, t'en as plus ?

Pas de réponse.

– Tu t'es sauvé ?

Rien.

– On t'a emmené chez le vétérinaire et tu t'es sauvé ?

Le sol, encore.

– Parce que tu es devenu trop vieux, c'est ça ?

Il regarde ailleurs.

De mieux en mieux ! Je remonte la Grande Allée en marchant aussi vite que je peux. Derrière moi, le chien trottine lourdement, j'entends ses griffes qui battent le ciment, son rythme régulier, patient. Lui qui, tout à l'heure, sautait dans le bassin comme un chiot plein de vie, n'est plus qu'un vieux chien sans collier, avec des yeux recouverts d'une buée grise, un chien dont on a essayé de se débarrasser, mais qui s'est sauvé pour ne pas mourir tout de suite.

J'accélère encore le pas pour le semer, pour qu'il renonce, m'oublie, mais il accélère lui aussi, se rapproche, trotte à mes côtés. De temps à autre, son mufle humide frôle ma jambe, comme s'il voulait se rappeler à moi.

À la hauteur de l'Assemblée nationale, je bifurque vers la droite et je m'approche de la fontaine de Tourny. Le chien me rejoint et s'assoit, le regard rivé sur moi.

Je sors la cenne noire de ma poche.

– Diésel…

Ses deux oreilles se dressent. Le nom n'a pas l'air de lui déplaire.

– Toi et moi, on va faire un pacte.

Il incline la tête de côté. Je lui mets la cenne noire sous le museau.

– Je vais jeter cette pièce dans le bassin. Si je rate la cible, je t'emmène avec moi. Si elle tombe dans l'eau…

Le pire, c'est qu'il comprend.

– … tu arrêtes de me suivre. Compris ?

Son regard s'assombrit d'un coup. Pour ne pas le décourager complète-ment, j'ajoute :

– À ta place, je m'en ferais pas trop. Je rate tout aujourd'hui. Y a toutes les chances du monde que je rate aussi la cible.

Je pense à Désirée, aux touffes de poils, aux éternuements. Si elle me voyait conclure un pacte avec un veau qui ronfle !

– Pour augmenter encore tes chances, je vais me placer très loin de la fontaine.

La queue balaye le ciment, puis s'arrête. Il s'allonge par terre, appuie son museau sur ses pattes de devant et attend, résigné, on dirait.

Je m'éloigne de trois ou quatre mètres. Diésel ne bouge pas. Je me tourne dos à la fontaine et je lance ma dernière cenne dans le bassin en murmurant: «Je ne sais pas quoi faire de ce chien, je ne peux pas le garder, alors faites qu'il s'en aille, faites qu'il arrête de me suivre, faites qu'il n'ait jamais existé.»

Et là, ça y est, à travers le ruissellement de l'eau, j'entends le petit ploc! révélateur. Diésel dresse la tête, il l'a entendu lui aussi. Et moi, je ne sais plus trop quoi faire de cette victoire. Alors je reste devant lui un long moment, n'osant ni parler ni bouger. Quand, enfin, je me détourne pour partir, il ne me suit pas. Lentement, très lentement, il s'allonge sur le côté, se roule en boule et enfouit son museau dans les profondeurs de sa toison.

Il ne me suit pas non plus quand je disparais, mal à l'aise, avec l'impression pénible de fuir. Je marche vite, sans penser à rien, mais en colère contre moi et le monde entier. Deux coins de rue plus loin, je me retourne : plein de gens mais pas de grosse bête perdue sans collier. Ça marche, les vœux, ça marche, les fontaines et les pièces qu'on y jette.

Je devrais être soulagée. Pas de chien à l'horizon, pas de Désirée qui éternue, pas de problèmes. Un vœu, un simple vœu, une simple fontaine et une cenne qui a atteint son but, la seule de toute cette fichue journée.

Je devrais être soulagée, mais je ne le suis pas. Je suis malheureuse comme les pierres parce que là-bas, près de la fontaine de Tourny, un vieux chien qui s'est attaché à moi a compris que je ne voulais pas de lui.

Je continue à marcher, je ne sais pas combien de temps s'écoule, il y a encore beaucoup de gens dans les rues. C'est une belle soirée, une soirée d'été comme je les aime, tiède, avec une brise qui permet enfin de respirer. Les passants sont lents, on les sent heureux de cette douceur, certains ont emmené leurs enfants, d'autres, leurs chiens. Des bêtes tenues en laisse, pleines de vigueur, d'énergie, bien soignées. Sous la lueur des lampadaires, leur poil brille. Le fouillis gris et blanc de l'autre s'impose brutalement à moi, le pelage emmêlé dont personne n'a pris soin. Bizarre, tout de même, comme les animaux ont besoin des humains pour assurer leur bien-être.

Alors je fais la seule chose possible, bien entendu, je fais demi-tour. Je redescends la Grande Allée en courant, je bouscule les passants, dépasse les chiens, les enfants... qu'est-ce que je suis en train de faire?

J'arrive devant la fontaine de Tourny, hors d'haleine. La place est vide. Le chien a disparu.

Je fais le tour du monument au moins trois fois, en proie à la panique. Où est-il passé? Ce n'est pas possible. Un animal de cette taille ne peut pas s'être volatilisé aussi vite! Je quitte la fontaine et j'arpente les rues avoisinantes, la rue D'Auteuil, la rue Sainte-Ursule, la rue Saint-Louis, toutes les rues, puis je bifurque vers les Plaines, refuge des animaux abandonnés.

Rien.

Je reviens vers le bassin, là où tout s'est décidé. L'eau est noire, les cascades empêchent de voir au travers. Je plonge mes deux mains au fond. Il n'y a pas trente-six solutions, il faut récupérer la pièce, revenir en arrière, défaire ce que j'ai fait, ce que je n'aurais jamais dû faire. Mais est-ce possible? Est-ce qu'on peut remonter le temps? Décider qu'on s'est trompé, faire marche arrière et recommencer autre chose? Et si on ne pouvait pas? Si les vœux se réalisaient pour vrai? Si, une fois la pièce jetée dans l'eau, le vœu s'inscrivait pour toujours dans la pierre de la fontaine sans s'effacer, jamais?

Je ne sais pas où la pièce est tombée, le bassin est très haut, très large, j'ai beau gratter le fond avec mes ongles, je rencontre toutes sortes de choses, des petites pierres, de la mousse, mais je continue à chercher, c'est comme une lutte acharnée.

Et puis, ça y est, ma main se referme sur un objet plat et dur, ma cenne, j'en suis sûre, ma dernière cenne noire, c'est la bonne, je le sais. J'ouvre la main et ce n'est qu'un bouton, un simple bouton en plastique à peine plus gros qu'une pièce de 10 cents. Un ratage de plus dans cette journée qui avait pourtant commencé avec les meilleures intentions du monde.

Tout à coup, je sens quelque chose de froid contre ma jambe. Je fais un bond de côté et je me retourne. Diésel est là, tout mouillé, avec son grand sourire, sa tête carrée et ses pattes aussi larges que des madriers. Il s'assoit devant moi, ouvre une gueule énorme : la cenne tombe, roule et va se perdre plus loin.

Je me penche vers lui sans rien dire et je pense : j'ai un chien, à présent, un chien à moi toute seule. D'un commun accord, on se remet en route. Vers la maison, sa nouvelle maison. On avance lentement, au même rythme. Il fait chaud, on est bien. De temps à autre, son mufle humide vient frôler ma jambe.

On n'a pas encore atteint la porte d'entrée qu'on entend Désirée éternuer.

Le Trio rigolo

AUTEURS ET PERSONNAGES :

JOHANNE MERCIER – LAURENCE
REYNALD CANTIN – YO
HÉLÈNE VACHON – DAPHNÉ

ILLUSTRATRICE : MAY ROUSSEAU